주정뱅이와 악사

주정뱅이와 악사

발 행 | 2024년 05월 20일
저 자 | 이정석
디자인 | 이서영
펴낸이 | 한건희
펴낸곳 | 주식회사 부크크
출판사등록 | 2014.07.15.(제2014-16호)
주 소 | 서울특별시 금천구 가산디지털1로 119 SK트윈타워 A동 305호
전 화 | 1670-8316
이메일 | info@bookk.co.kr

ISBN | 979-11-410-8497-4

www.bookk.co.kr

주정뱅이와악사

이정석 지음

목차 4

작가의 말

봄꽃은 땅과 가깝고
가을꽃은 하늘과 가깝다

삶의 준칙

큰 그림을 그리되
작은 것을 사랑할 것

거리

"내가 방금 전화하기 전에 무슨 일이 있었는지 알아?"
"우리 집 창 밖에 바람이 불었어."

詩와 시인

시가 무엇인지
나는 알 수 있을까

시는 일단
글로 사람을 홀려야 한다

홀린다는 것이
여우에게 홀리는 것 같이
들린다면
그래서 정확한 표현이 아니라
생각이 든다면

사람의 정신을 깨고 들어와
마음을 뒤흔드는
그런 예술이어야 한다고

나는 생각 하는데
지금 적고 있는 이 글쪼가리는
시가 되려나
될 수 있으려나

시는 어쩌면
말 짧은 인간들이
여기 저기 예술적으로
앞 뒤 가운데 잘라먹은

말 쪼가리인지도 모른다

한 언어로 적힌 시는
그 언어로 듣고 말하고 읽고 쓰는
사람들의 말의 보고이어서
그들의 무의식을 형성하는
효과적인 구조물인 것 같으다

한 시인의 시풍을 훔치고
다른 시인의 시론을 훔치고
부지불식간에 체화되고
그렇게 나오는 것이
시이고
문학의 역사인 것 같다

시를 쓰는 사람은
소설을 적는 사람에 비해서
순수한 것 같다는
다른 말로는
어딘가 나사가 풀리고
덜떨어진 인간들 같다는
개인적인 사견을
덧붙여 둔다

유아기 때 찰흙을 조물락대는
취미를 어른이 되어서까지 하면
소조를 주로 하는 미술가가 되듯이

어린이 시절
낙서장에 적어 보는 글자와 글자
어른이 되어서까지
철없이 계속 하는 사람이
시인이 아닐까

나는 본격적으로 시를 적어야겠다고 다짐했을 때
딱 한 편의 명편을 남기고 말아야겠다는 생각을 했다
그런데 어느 새 나는 세 편의 시를 적고 있었고
열 편 정도의 시를 적었을 때 세 편 정도를
나름 잘 쓴 시라고 여겨 만족했었다

교과서에 나온 기라성 같은 시인들 한 사람 한 사람
인구에 회자되는 세 편의 시이면 족하다 여겼는데
시를 적는 것은 쾌락과도 같은 것이
적지 않고는 행복하지가 않아서
행복하지가 않아서
적고 적고 또 적게 되는데

분명히 이전 시만 못한 것을 아는데도
계속 적게 되는 것이 시인의 일 아닌가

계속 적어내리는 시를 누가 다 읽을 것이며
시인은 하고 하고 하고 많아 시는 더 많다는데
부디 내 시를 읽는 시간이 삶에서 낭비가 되지
않기를 바라는 것인데

시를 적는 것 보다는
축복을 내려 주는 권능이
壓卷인 것인데.

시가 무엇인지
나는 알지 못하고
알지 못하고도 적을 수 있는 것이 시이고
무너질 듯한 글을
쓰러질 듯 한 글을
조심 조심
적어
볼 수도 있는 것이고

시라는 것은
삶의 리듬에 맞춘 노래요
흘러가는 강물이라

눈물 많은 사람이
부끄럼 마다 않고
적어 보는 것이라

멀고 가까움을 생각하는 것이라
그리움 없이 지어지지 않는 것이라
하늘과 가깝고
땅을 울리는지라

고독하고
그러나 반짝이고
대개는 부드럽고
진리라 함은 시인의 마음인 것이라

삶이 아니면
아닌 대로
인생이 아니면
아닌 것으로
끝맺는 것이라

저 들판 너머 한 나라의
옛날 사람들의 피맺힌 함성이
귓전에 들려오는
귀신 소리에
입이 벌어져
나오는 비명
주름진 미간

아픈 역사
짧은 인생
덧없는 삶

어쩌다 운명이

시인

기억도 목소리를 가질 수 있다면

추념식에서 목례하는 사람에게 묻는다
묘지 주인들의 목소리가 들려오느냐고

젊은 시절 세운 수 많은 공장들이
이제는 되돌릴 수 없이 되었으니

메마른 들판에서 드넓은 광야로 나아갈 때
그 때를 기억하느냐고 그 목소리 아직도
네 가슴에 간직하고 있느냐고

너무나 허약하였던 신념들 그로 인해
들려오는 귀신들의 곡소리 넌 기억하느냐
저 바위 위에 피로 새겼던 글씨와,

어느 장인이 만든 것인지 모르는
이 세계 부처님의 형상, 그 목소리...

올바른 길을 잃고서

세상의 큰 의사 되는 길
어렵기도 하여라

어린이 시절로부터
工夫를 하고

좋은 학교에 진학하여
좋은 선생님께 수업을 들어

경쟁을 하고
반에서 학교에서 1등을 하고

다 맞추기 힘든 killer 문항을
다 풀고 좋고 또 좋은 의대에 들어가

그 의대 안에서 또다시 경쟁을
하고

1등을 하고
또 1등을 하면

그것이 우리 사회의 올바른 길이요
그럼으로 큰 의사가 되는 것이라

그러나 누군가는 도중에 그 올바른 길을 잃고

이 세상에 큰 의사 되는 꿈을 접어 버리더라

살아 보니 사람이 사람을
구제하기는 참 어려운 일이었더라

큰 의사 되려 했던 사람이
세상 천지 가장 아픈 환자였더라

주정뱅이와 악사 1

한 잔의 술을 마시고
숟가락을 북 채 처럼 잡는다
식탁에 두드리며 장단을 맞추는데

창 밖에 비는 내리고
그렇게 비가 오는 날
마이너의 인생을 산 사람이
단조의 구슬픈 곡을 부른다

내 청춘아
날 놓아 두고 어딜 가느냐
어딜 가느냐

곁에는 홀로 술을 마시지 말라는
걱정 가득한 동거인의 만류가 있고
주황색 빛의 전구가 깜빡깜빡대는
눅눅하고 좁고 무더운 한여름의 밤

너도 한 곡 뽑아 불러보라며
숟가락을 건네는 그 이의 눈동자에
여러여러 세상의 색채가
이리저리 비추고 있었다

오 그 인생살이 얼마나 슬펐던가
집시도 아니었고 히피도 아니었던

그 방랑자의 삶이 얼마나 힘이 들었던가

주정뱅이와 악사 2

하늘에서 비가 내리고 있었다
별은 보이지 않았고
하나님이 있을 리가 없었다
세상에 그 이치에 순응하며 살던 한 악사는
술에 취해 이성을 잃어버린 채로
세상의 이치나 하나님과는 먼 세계에서 사는
혼돈의 주정뱅이를 위해 노래하고 있었다
세상이 곧 음악이고 음악이 곧 세상이어서
매일 같은 곳을 돌고 도는 쳇바퀴의 인생을
다른 것으로 바꿀 수가 없었다 그 때가
가장 좋은 때이던 시절들 그보다 더
나을 수가 없었던 나날들 그러나 조금만
더 좋은 수를 낼 수는 없을까 그렇지만 절대로
그렇게는 살 수 없겠다고 생각 또 생각했다
주정뱅이의 인생은 어딜 뱅뱅 도는 걸까
악사의 음악은 어느 즐거움 사이에 있었을까
언젠가는 하늘에서 흰 눈이 내리고 있었다
소복이 쌓인 눈에 첫 발자국을 내딛는
그 사람은 누구였을까 아차 하는 사이
주정뱅이는 이미 주정뱅이가 아니었고
악사 또한 옛날의 그 악사가 아니었다
어쩌면 그 발자국은 사람의 흔적이 아닌지도 모른다
별빛이 가로등처럼 내리 내려 비추던 밤
누군가는 찬 바람에 옷깃을 여미우고 누군가는
한바탕 북소리에 술에 취한 듯 음악에 취한 듯

그것이 살풀이 춤인 듯 승무의 한 동작인 듯 열이 올라
발그레한 얼굴로 가쁜 숨을 미소지어가며 갈무리해가며
하얗게 펼쳐진 들판 위로 기록적인 발자취를 남기고 있었다

다시 해 보자

머나먼 산길 들길 지나
물결 따라 걷다 보면 바닷길
강물과 바닷물이 섞여드는 곳
望海의 그리움이 짙게 드리워
내 마음은 어느새 흐리운 감정이 된다
나는 파도와도 같이 한 삶이 된다

인생이란,
둘도 없는 사람의 한 세상,
물거품같은 한바탕 세상에서 나는
삶이라 불리우는 것을 살고 싶었거늘,
내 삶은 바닷바람의 그리움 속에서
아침새들 지저귐만 찾아올 뿐.

떠오르는 태양 앞에 나는 은밀히 고백한다.
내 삶이란 건, 단지 부끄럼과 같았다고
나는 그 모든 부끄럼을 망각하며 살아왔다고
언젠가 내 魂靈이 지닌 바람들 다 슬어지면
나 그로부터 解放될 날 오지 않을까,
그날이 내게 온다면...

靈魂天國 無我眞理

의무

해야만 하므로
할 수 있다.

할 수 있으니
한다.

하면
된다.

마음

마음에도 길이 있을까.
아름다운 이름의 꽃씨 지나다니는 길.

마음에도 별이 있을까.
영민한 사람에게 보이는 三太星.

마음에도 따스한 볕 비출까.
虛靈하여 淸淨한 일렁임에.

마음에 맑은 옹달샘이 있을까.
우리가 숨 쉬어 들이키는 가쁜 공기같은.

내 마음 안에 이 세상 고통 있을까.
세계의 고통 속에 쓰여지는 한 편의 서정시

음유시인의 역할은 둘러 봐도 생각해 보아도
어디에도 없다 가까이는 휴전선에도

조금 멀리의 탱크와 군함과 핵무기에도
시인된 사람의 자리는 없다.

모든 건 해프닝일 뿐이다. 희랍 신화의
트로이아 전쟁과도 같이 해프닝일 뿐이다.

詩作과도 같이 해프닝일 뿐이다.

잘 은폐된 수많은 죽음 곁에 우리는 살고 있다.

시인된 자는 인간다운 삶을 바라지 말라.
인간된 자는 예술을 위해 삶을 걸지 말라.

심오한 철학을 바라지 말라 그것은
마음 속 반딧불이 개똥벌레의 반짝임일 뿐이니.

커피 한 잔으로 하루를 보내는 나는
내 하루가 무언지도 모르면서 먼 나라 전쟁을 생각한다.

무력한 사람들이 시인인 줄은 애저녁에 알았으면서도
몇 마디 글줄은 고장난 수도꼭지의 물방울처럼 뚝뚝
떨어지네.

꽃

너다운 것이
꽃이다.

활짝 피어나는 것이
꽃이다.

계절을 아는게
꽃이다.

미소지을 줄 아는게
꽃이다.

희망은 떨어지는 꽃잎 속에

산에 핀
꽃.
잎 사이로
들어가면
신라국의
금관총이
떡 하니
펼쳐진다
그곳엔
세월이
사람을 버리고
청춘이
먼지처럼
가고
갔다
거기
화산아래 마그마가
용트림하고
물줄기는
오색 무지개 되어
강철처럼
바로
선다.

시인이여 삶을 노래하자

소리 없이 찾아오는
저 먼 수평선 너머
바다의 딸.

나 그녀를 사랑하여
내 곁의 한 자리를 내어주었다.
상처라 할 수 없는 刺傷의 할퀴움에
그녀의 몸 속에서는 癌이 자라났다.

우리들의 안팎에는 온통 질병이로구나
세상의 철학은 病理學이요
處方箋이었구나.

소 잃고서 외양간을 고치는 것이
먼 바다를 사이에 둔 우리들의 모습이었다.

상처입은 노동자의 손이여,
그대의 삶이 진정으로 쇠사슬에 묶여 있다면
나 그대의 해방을 위해 기도하리라.

바다의 딸,
자랑스런 어머니와 아버지의 자녀
역사는 계속되지 않는가.
우리의 만남과 화해도
언젠가의 미래로서 예정되지 않았는가,

우주를 상상하라.
한 인간의 분노는
핵폭탄과 같이 조그마하고 마치 촛불처럼 일렁인다.
한 인간의 냉소는 녹아내리는 북극의 빙산 같다.

인생을 기쁨으로 채우자꾸나
인생을 감사함으로 채우자꾸나
눈 감으면 펼쳐지는 지구와 달의 궤도
빛나는 태양을 가슴 안에 심자꾸나

들풀처럼 푸르른 그대여
노래로서 삶을 완성한 그대여
꽃보다 더 아름다운 사람이여

우주의 중심에 곧게 세운 희망의 支柱를 돌며
뭇 별들이 영광의 춤을 춘다.

초보 예술가

삶 속에서 나는
나이가 든다
드는 나이만큼
神이 나야 할 텐데
신명나는 놀이판의
客조차 되지 못하고
한 구석 어둠 속에서
길을 찾고 있었다.
길 찾는 삶 속에서
한 박자 늦게 나이가 든다.
드는 나이 만큼
신이 나야 할 텐데,
여덟 박자 늦게 찾아간 놀이판은
이미 罷場,
느릿 느릿 시골의 五日場을 떠돌며
오늘은 어떤 변주를 노래할까
떠오르는 옛날의 기억과 어울리는
열두 호흡의 돌림노래를 불러 볼까...

☆ 돌 줍는 소년 ☆

한문 수업 시간에 선생님께서
주희의 권학문을 적어주셨다

少年易老學難成
一寸光陰不可輕
未覺池塘春草夢
階前梧葉已秋聲

소년은 자신의 노트에 칠판에 적힌
글씨를 받아 적었다.

.

.

.

소년은 지하철에 올라 탔다.
향하는 곳은 인천국제공항역이었다.
지하철엔 사람들이 북적이고 . . .
서울역에 도착한 소년은 공항철도로
환승을 하였다. 공항으로 가는 철도여서
그런지 출국을 하는 듯한 사람들이
캐리어를 곁에 두고 있었고 외국사람도
종종 눈에 띄었다.

소년의 곁에 한 외국인이 앉았다.
백인과 흑인의 혼혈인 듯한 외국인이었다.
홀로 가는 길이 적적했던 소년이 물었다.

"웨어 아 유 프롬?"
"아임 프롬 네덜란드."
"리얼리? 아이 워리 어바웃 유어 컨츄리.
유어 네이션.. 월비 빌로우 씨 레벨...
클라이밑 크라이시스 이즈 커밍...
매니 피플 윌 이미그레이트 투 아덜 컨츄리...
아임 고잉 투 고 투 인천 웨스트 비치,
투 겟 썸 스톤, 비포 데이 우드 비 선크."

소년은 되도 않는 영어를 이어나갔고
자신을 네덜란드인이라 소개한 그는
약간 당황한 표정이었다. 그는 마지못해
대화를 종료하기 위해 말했다.

"오케이..."

공항행 철도에 탑승한 주변의 승객들이
둘의 대화를 엿듣고 있었다.
승객들 중 상당수가 인천공항쪽 거주지에서
삶의 터를 꾸리고 살아갈 것이었다.
해안가가 바다에 잠기리라는 예측을 듣는 것은
그 사람들로서는 썩 유쾌한 일은 아닐 듯했다.

인천공항역에 도착한 소년은 공항역에서
용유역으로 이어지는 자기부상열차에 탑승했다.
그 열차에 탄 사람은 그리 많지 않았다.

열차에서 내린 소년이 조금 걷자 해변이 나왔다.
소년은 스마트폰으로 동영상을 촬영하기 시작했다.
자신의 모습을 먼저 찍었다.

“지금 저는 잠진도에 나와 있습니다.
잠진도는 인천국제공항이 있는 영종도
서쪽으로 연결된 섬입니다. 이 섬의
해안에서 저는 돌을 주으려 합니다.
기후위기로 인해 해수면이 상승하면
물에 잠기게 될 해안가를 기억하기 위함입니다.
돌을 주워 보관하는 수십년 동안
해변은 바닷물에 잠기게 될 것입니다.
이 곳의 아름다운 풍광도 다른 모습이 되겠지요.
일단 제가 나와 있는 이 곳의 풍광을 보시지요.”

소년은 카메라를 돌려 잠진도의 풍광을
촬영했다. 횟집이 있었고 카페가 있었다.
그곳의 주소지를 나타내는 표지판 또한 있었다.
소년은 바다 쪽으로 카메라를 돌렸다.
저 편의 떨어진 섬 너머로 해가 지고 있었다.
소년은 해안가로 내려갔다.

“자갈돌 깔린 해안에 잔잔한 파도가 치고 있습니다.”

소년은 그 곳에 있는 돌들 모두를 줍고 싶었다.
하지만 그것은 불가능한 바람이었다.
소년은 마음 속으로 수를 셈했다.

그리고 그곳에서 딱 세 개의 돌을 줍기로 했다.

찰랑대는 물결에 쓸리는 돌 중 하나가 유독 눈에 띄었다.
에메랄드 색을 띄는 둥근 조약돌이었다.
에메랄드 색을 띄지만 에메랄드와 같은 보석은 아니었다.
아주 작은 입자들이 간간히 돌 표면에서 반짝였다.
그가 줍지 않았다면 그 어떤 사람도 몰랐을
조약돌이었다.

해안가를 좀 더 서성이다 소년은 또 다른 돌을 발견했다.
분홍색의 붉은 기운을 가진 돌이었다. 그 돌이
선사시대에 원시 인류가 사용하던 주먹도끼일 리는
없었다. 그럼에도 그 돌은 손에 쥐기 알맞은 형태를
가지고 있었다. 소년이 그 돌을 발견하여 손에 쥐기
전까지 그 돌은 배경의 한 점을 차지하는 흔한 돌일
뿐이었다. 소년은 그 돌에서 따뜻한 기운을 느꼈다.

세 번째 돌을 주울 차례였다. 땅에서 돌을 찾다 고개를
들어 앞을 보니 길 건너로 <미애네 칼국수> 집이 보였다.
앞으로 지구의 평균기온이 점점 더 상승하고
빙하가 녹아 해수면이 그에 따라 상승하면
저 간판을 달고 있는 가게가 물에 잠기는 날이 올것이다.

소년은 뒤돌아 다시 찰랑대는 바다를 보았다.
그리고 다시 칼국수집을 보았다.
바닷물과 국수집의 간격을 지는 태양이 비추고 있었다.
그 태양빛을 받으며 해안가에 홀로 서 있는 소년의 앞에

이 세상에 단 하나밖에 없는 돌이 그를 기다리고 있었다.

소년은 그 돌을 바라보며 현재 고등학교 3학년
수험준비를 해야 하는 자신이 먼 바닷가에 와서
무엇을 하고 있는지를 생각하니 머리가 아득해졌다.

"!!!!"

소년은 아무도 듣지 못하는 비명을 질렀다. 그리고
자신 앞에 놓인 새하얀 돌을 하나 주웠는데
그 돌은 자신의 주먹정도의 크기였고 아마도
건설자재로 쓰다가 떨어져 나와 남은 것이 아닐까 싶었다.
돌 줍는 소년을 제외하고는 아무도 그 값어치를 인정하지
않는 버려진 돌이었다.

때는 바야흐로 西紀 2023年 5月 14日
소년은 다음 주말에 부산 해운대의 모래를 보러 가기로 했
다.

"촬영을 마칩니다!"

서울의 달

너와 나
서울의 달을 사이에 두고
맹세했었지.
우리 저 보름달에 저 빛나는 달에
함께 우리의 富를 묻어 두자고.
하루에 일백만 원 벌지 못하는
나를 너는 재촉했었지.
나는 스물 네 시간 안에
정정당당하게
일백 만 원을 벌어보고자 했다.
생각을 하고 바삐 움직이고
뛰어다녔지.
스물 네 시간이 지나가고 그러나
나에게 남은 것은,
일백만 원이 아닌,
서울의 한 銀行 지점 위로 뜬 처량한 달이었다.
우리는 그 달을 사이에 두고
함께 같은 노래를 들었지.
우리는 그 달을 사이에 두고
함께 같은 노래를 들었지.

애통해하는 자에게 복이 있나니

나는 아버지에게 順從하였으나
내가 가야 할 길을 정해주는
어른은 없었다.

역할 모델이라는 걸 세워도 보고
따르기도 하여 보았으나
나는 그들과 다른 개성의 사람임이 드러났다.

의사라면 슈바이처나 장기려가
되어야 하는 줄로만 알았다.
나의 영혼은 상처받은 채로 여기저기 떠돌았다.

트라이얼 앤 에러가 지금의 나를
만들었듯이 미래에 주춧돌을 놓을 다음 세대는
무수히 많은 성장통을 겪어야 하리라.

길은 예술이 아닌지도 모른다.
시와 소설이 아닌지도 모른다.
문학을 탐구한 문예이론이 아닌지도 모른다.

꼭 노래하지 않더라도 인생은
살만 하다. 心靈이 가난한 자에게
福이 있나니 天國이 그들의 것임이요.

소녀의 기도

한 옥타브를 한 발자국씩
조심스레 내려오는
소녀의 가느다란 발목의 움직임이
무척이나 경쾌하여
따스한 봄날의 기운을 생생하게
전해주고 있었다.
소녀의 기도는 마치
옛 역사를 배경으로 한 동화책에 적힐만한
꿈만 같았고 발가락에 닿아 부서지는
차가운 파도의 잔물결만 같았다.
소녀의 기도는 착한 마음이 내비추는
매일반의 소망이었는데 기도의 요령이
날로 새로워지고 또 날로 새로워졌다.
푸른 아침 종달새의 비행을 보는 듯한 소녀의 기도는
하늘 높이 띄워 보내는 편지와 같았는데
어느 우울한 날에도 빗방울에 젖은 편지마냥
소녀는 한결같이 기도하는 걸 잊지 않았다.
소녀의 기도는 소녀가 소녀이기를 멈추는 날,
아마 그 다음날 정도에 비로소 끝이 났다고 전하는데
소녀의 기도의 내용이 무엇이었고 그 기도가 어떻게
이루어졌는지는 오직 그 소녀만이 안다고 한다.

떠도는 영혼

오늘도 어쩌다가
이선균의 이야기를 들었다
그는 왜 죽어서
하늘로 오르지 못하고
귀신이 되어
이 사람 입에서 저 사람 귀로
이 겨우내내 떠돌아다닐까

현대인의 아이템 인벤토리

집 앞의 산에 오르려 할 때는
몸을 가볍게 해야 좋다.

아주 아주 매우 높은 산을 등반하려면
갖가지 준비물을 빠짐없이 챙겨야 한다.

물건에도 사람의 습이 들어서
곡식을 팔기 위해 그것을 지게에 지고
장터에 가던 사람은

가는 길 땅에 떨어진 황금 항아리를 보아도
등에 짊어진 곡식을 버리지 못해
그것을 그냥 지나치고야 만다.

사람의 존재와 소유가
게임 캐릭터의 능력치와
아이템 인벤토리와 같은 것이어서

특정 이벤트 수행으로 쉬이 변하고
여기 저기서 줍고 버리고 사고 팔며
갈아끼울 수만 있다면야 그 세상도
참 좋은 세상인 것만 같은데,

또 사람의 목숨이 하나뿐이지 아니해서
죽음을 맞이한 이후에도 부활의 제단에서

그 소유와 존재로 언제까지나 다시 태어났으면 하는 것인데,

현대인의 아이템 인벤토리에는
지갑과 스마트폰이 필수이어서
누군가 그것들 없이 길 밖을 나서려 하면
살벌한 필드를 간떨리게 지나쳐야 한다.

인벤토리가 텅 빈 사람은
엔피시마저 잘 상대를 해 주지 않아
무전여행으로 삶의 용기를 얻었다는 사람이 아니고서야,
그 특수 상태를 견디지 못한다.

사람의 인생은 공수래 공수거라는데
현대인의 한 손엔 지갑 한 손엔 스마트폰이 있어
만약 왕족의 시체를 묻는 무덤이 있다면 그 안에
이 아이템들을 부장품으로 묻어주어야 하지는 않을는지...

고아들의 새해 선물

언제 태어났는지 모르는
아이가 많았다

산타할아버지가 없다는 걸
너무 일찍 알았다

새해 첫 날 떠오르는 햇님만이
그들에게 가장 특별한 선물이었다

떡국을 먹고
나이 한 살을 더 먹고

홀로 도는 바람개비의
그림자가 길게 드리워졌다

想思의 나날들

실로 소중한 것이란
이유 없이 고된 사랑이라
나 이제 스무 해 전으로
되돌아 가
막돼먹은 열여덟의 나이인데
思春期를
그 한계에 이르도록
다시금 살아내고 있다 전하는데
한 잔의 커피와 여러 권의 책
별을 위해 불렀던 마음의 노래는
끄적이는 노트 페이지 속 글귀로 파묻히고
지긋이 두 눈 감고 생각하니
실로 소중했던 것이란
한 잔의 술이 아니라
까닭 없이 그리워했던 사랑이라
愛別離苦의 달고 쓴 나날들을
그토록 멀리 떠나온 줄 나는 미처 몰랐더라

예술이 전하는 미소

어린아이처럼
노니는
詩의 세계에서

나 일찍이
아무 것도 아니어서
하루 사이
바닷가 모래성같은
다짐을 쌓아 두고

높은 하늘과
드넓은 땅 사이
먼 바다가 들려 주는
바람 소리를 맞아

좀 더 빠른 템포의
왈츠를 추겠다고 했다

그 사이
경제라 하는
알곡은
구멍난 주머니에서
모래알처럼
새어 나가

내가 알지 못하는
他人의 일기장 안에
고스란히 묻혀 있고

나는
한 생명
생존으로
자유의 예술 세계를
노닐다 간다고 하였다

생각해 보면
사람의 아픔
그러한 건
태초에
존재하지 않았다

태초에
날 쏘는 총성은
울리지 않았다

억겁의 세월이
흐르는 동안
수도 없이 많은
어린 시절들이
지나갔고

수없이 많은

무언의 깨달음이
있을 뿐이었다

검은 밤하늘에
하나의 별이 된
시인의 마음은
가까이 부끄러움을 알되
멀리 희망이란 걸 모를 만큼
천진하고 난만하여

하늘에다 대고
하나님이 보라고
스스로의 죄악을
뱃거죽서 꺼내어

마른 저울에
걸어 두었으니

역사의 골목길을 돌아
이제 나는 전하노라

일찍이 희망은
태초의 사망자처럼
어느 서랍 상자 속에서도
발견되지 않았다

완전한 타자에게

보이기 위한
잠시간의 미소
그뿐이었다

나 어저께

적막을 생각하다
꼬박 잠이 들었다

온갖 뇌우와 같은
꿈이 지나갔고

바탕색이 흘러넘쳐
바다로 떠내려갔다

청보리밭에 살려달라
우는 것은 흰 오리였고

거대한 무릎팍이 어느새
산중턱 돌부리에 가 닿았다

신령스레 맞이한 아침은
이슬방울을 거두어 갔고

어둠 속 한 호흡은 그대로
모든 자연의 숨결이었다

누군가 내일의 태양을
의심하며 잠에서 깨어났고

내가 사망했다는 소식을

전해주는 이가 있었다

커피 한 잔의 오후

삶을 바라다 본다.
시험이 있고 고뇌가 있다.
일용할 양식이 있고,
해방이 있었고 숱한 방황을 했다.
하늘로 날아가버린 연꼬리같은 긴 여운이 남았고
작은 행운의 소리가,
곁방의 라디오 소리처럼 들려온다.
善이란 것을 미처 알지 못하였다는 핑계로
수많은 行爲를 뒤로 미루어 두고
마음 속 冥想의 세계 그 검고 잔잔한 물 위를
은반 위의 균형잡힌 날처럼 미끄러져간다.
그리하여 마침내 내가 도달한 곳
불안하였던 어린 시절의 기억 속.
이제 그곳은 마구 몰아치던 거센 비바람이 멎어 평화롭게 보인다.
대나무의 잎파리 하나 하나 줄기의 이어진 마디 마디를 세어 볼 수 있고
흔들리는 난초 그림의 은은한 묵향을 맡아볼 수 있는 듯하다.
어제와 같은 흔들림의 오늘이 있었다.
매 순간의 호흡같은 내일이 있을 터이다.
옛 철학자가 말하길 육체는 영혼의 감옥이라 하는데
죄수는 감옥의 철창살을 통해 햇살이 드는 것을 보고
창살 밖 한 송이 작게 피어난 꽃의 향기를 맡아보기도 한다.
마침내 어느 한 계절 감옥에서 풀려 나온 그 눈부신 거리에서
나는 한참동안을 두 팔 벌린 나무와도 같이 서 있었다.

나의 정수리를 덮은 검은 머리칼에 태양은 뜨겁게 내리비추었고
나는 어린 시절 읽었던 동화책 속 떡갈나무를 떠올렸다.
거기 숲 속에서 서로가 서로에게 영향을 미치는
자연의 생태계 안에 몸담고 수백억겁의 전생을 거듭 살았던
한 마리의 장수풍뎅이를 만났다.
장수풍뎅이는 순간 파르르 날갯짓을 하더니 숲의 한 점으로 사라졌고
나는 그와 동시에 내 머리 속에 존재하는 한 외계인에게 질문을 하나 던졌다.
"도대체 삶이란 무엇인가요?"
내 머리 속에 세들어 사는 외계인은 그 자신도 삶이
무엇인지 모른다 했다. 더 나아가 알 수가 없는 것이라 했다.
나는 그 외계인의 말을 모두 믿지는 않는다.
그 누군가는 멀리 날아가 사라져 버린 장수풍뎅이의 비밀을
알 수도 있다고 나는 그렇게 믿고 있기 때문이다.
아마도 나는 치유되기 힘든 예술가병에 걸려 있는 것 같다.
예술을 위해 삶을 담보잡히는 예술가병,
그에 대한 이야기... 가...
웨이브 드라마 <박하경 여행기> 2화에 나온다.
"이나영 짱!" 하고 내가 외치니 외계인이 응답했다.
"빵상~!"

실존의 하모니

삶은 어떻게 사는 거지?
음악같이 살아야 해.
g minor 같은 삶이어야 해.
모차르트의 한때와.
한 철의 브람스와.
바흐의 언젠가와 같이.

하늘 마음

하늘 마음은
추석 날
성묘길에 나서는 마음이다.

아버지의 아버지
어머니의 어머니
아버지의 어머니
어머니의 아버지

이미 가신 분들을 추념하는
마음이어서 그 지극함에
이르면 거기에
하늘 마음이 있다.

지난 여름 철
추수의 가을날을 기다리며
태양 아래 들판에는
오곡이 익어 갔다.

언젠가의 하늘 마음은
한 밤 중
시골집의 지붕 위로 쏟아지는
은총같은 폭우였다.

하늘을 쪼개는,

찢어지는 듯한,
천둥과 번개가
있어 왔고,

어느 날
하늘 마음은
비 개인 드높고
맑게 트인 그리움이어서

하늘을 보면
하늘 같았던
하늘 같은
그 하늘이
마치 거울처럼 비추어 보였다.

옛 전설과도 같이 거대한 밤하늘을 수놓는 은하수
하늘의 별 하나와 땅의 꽃 한 송이 짝지우는 마음이 있어
이슬처럼 수줍게 맺어진 인연들이 있었다고 한다.

경건한 이 가을 날,
우연히 발견한 자연의
가장 아름다운 虛無를 깨닫는
나그네 인생길처럼,

하늘 마음은 그대 가장 아름다운 그대가
온 하늘 온 세상이었으면 하는
그런 마음이다 그 모든 바람이다.

시란 무엇인가

시는
불러주는 이 없는
아름다움

시는
등산객의 발 닿지 않는
바위에 낀 물이끼

시는
사막의 모래폭풍 속에 파묻힌
옛 문명의 청동 거울

시라는 것은
산 속 깊이 찾는 이 없는
옹달샘

또 시는
여기 커피콩이 거쳐 간
여럿의 여러 손길들

시는
조립라인에 서서
나사를 조였던 이의 땀방울

또한 시는

석회질 동굴이 만들어내는
石柱요

시는
내일도 오늘의 태양과 같이
후회 없이 살아가는 삶

시는
이 시간을 예감한 자가 뽑아 내는
백조의 노래요

시는
처음도 끝도 아닌
작은 배 하나

시라는 것은
아름다운 사람의
시보다 더 아름다운 노래 소리

시는
한 번 들어가면
되돌아올 수 없는 미궁

시는
한가한 한량의
낙서로 가득찬 일기장

시는
침묵하는 종이 위에 적힌
가장 가벼운 데이터

Enduring Love

再會는
부고 기사가 나고서야
可能하다는
너의 말은
내 마음을 슬프게 한다

풀잎 사랑

너라는 사람은
아마도
숭배의 대상

달빛 아래 풀숲에 숨어
숨죽여 노래하는 작은 풀벌레가
낮동안의 태양을 찬양함은

그 혜택 누리는 모든 이를 위한
소유의 증명과도 같으니

나는 나의 뮤즈를 위하여
여기 나무 그루터기에
몇 글자를 새겨 두네

하늘이 사랑으로 하여금
나에게 命한 바를

다시 정념의 사랑

마흔에 가까운 배불뚝이 아저씨가
생애에 걸쳐 사귐다운 사귐도 못하고
또 다시 젊은 사랑의 정념을 읊는다.
이쯤 되었으면 사랑에 대한 기대 없이
무념과 무심으로 세상만사를 대하여
얻을 것도 없고 잃을 것도 없음을 알아
사랑의 노래보다는 절간의 염불소리에
그 스스로의 마음을 발견해야 할 것인데
정념으로 가득한 사랑노래를 듣고서
나는 내가 아직 가 보지 못한 미래가
꼭 과거의 기억과도 같이 되살아나
옛날 그 옛날 스스로 미치지 않았다는
그 증명을 계속해서 반복해 보였다는
그 아픈 인생 그 잠시간의 마주섬이
내 머리 속 영사기에 다시 비추었다.
이제 나에게 사랑은 아무래도 자비의
마음가짐과 어짊의 태도여야 하겠는데
아직 미성년의 태를 벗지 못한 나는
또 다시 어린아이의 그 때 그 시절처럼
정념의 노예된 한 마리 불나방으로서
살고자 한다, 파멸의 불꽃에 다가선다.

예술 모르는 시인

파멸의 언어란
운명도 아니고 숙명도 아니어서
그것은 여울물 건너가는 징검다리도 아니어서
크고 긴 대침이 가슴 한복판에 박히는 고통
또 작은 언덕 꼭대기로부터의 추락이어서
한 사람의 삶의 허무를 그대는 함께하여 주었다.
네게 트인 말길이 나의 유일한 소통의 창구가 되어
나는 흰 도화지 위에 가상의 꿈이라고 물감을 마구 흩뿌렸다.

사랑하는가?
너는 나를 사랑하는가?

나의 영혼은 이미 나의 것이 아니었고
주권 잃은 나의 몸뚱아리는 미친듯이 거리를 헤매는 꼭두각시
나는 집에서 죽었고
나는 병원에서 죽었으며
나는 지하도에서 죽었고
나는 싸락비 내리는 산골의 벤치에서 죽었고
나는 무덤가에서 편히 죽었다.

나에게 잘못된 삶을 살아간다 손가락질할 자
그 누구이더냐 나는 이미 삶 아닌 삶을 산지 오래이거늘
하염없이 눈물이 쏟아지던 날이 여러 날이었다.
어느 날은 죽음을 기다리는 노인들의 한스런 삶이 마음에 비
추어 울었고

또 다른 어느 날은 목격자 없는 온갖 폭력을 보고서 울었다.

폭력이 만연한 이 세계에서
나 또한 쏟아지는 우박같은 폭력을 저질렀고
結者解之가 불가능함을 나는 그 때 알았다.

사랑은 강제할 수 있는 것이던가?
마치 강간 같은 사랑 성병 바이러스 같은 사랑
운명이라 하기엔 너무 가벼운 인연에 꿇어 엎드렸고
내 삶의 나머지는 그 진정한 즐거움이 무언지 모를 책읽기
공부의 일상 — 마음의 불안과 그 지속과 연장 —
건강한 행복이냐 불안에 시달리는 진리이냐의 선택의 기로에서
예술가는 병든 진리의 삶을 자신의 것으로 기꺼이 택했고
부끄럼이란 걸 모르고 그 길을 걸어 갔다.

이제 무엇보다 아름다운 너를 직면하여 보고
그 보이지 않는 무언의 무언가를 생각하여 보고
내 눈가엔 어느새 아롱대는 눈물 한 방울
널 사랑하는 길은
아스팔트로 포장된 곧게 뻗은 고속도로인가
아니면 구뷔구뷔 굽은 아흔아홉모랭이의 파촉삼만리이던가

어쩌다 보니 시인으로 자처하여 사는 나
지금껏 지어낸 業으로 因하여
가슴 한 복판에 작게 심어진 십자가의 표상이
점점 또렷해지고 차차 커져만 가는데,
언젠가 내가 하늘을 향해 쏘았던 불로켓같은 화살이

우주를 한 바퀴 돌아 마치 조금 전에 던졌던 부메랑처럼
내 발 아래 사뿐 내려앉게 되는 그 순간이 오지는 않을까

내 묻노니 우리 세상에 희망은 있는가? 희망은 있는가?
지금 내 온 몸으로 느끼는 아름다움, 그것이 희망이던가?

아름다움은 사람의 정신을 무장 해제 시키며
그 밝은 빛으로 사람의 눈이 멀게 하고
천상의 복된 소리로 사람의 귀가 멀으니
여기 아름다운 그대를 감히 사랑한다 하지는 못하나
감사의 마음만을 헛된 글자에 담아 조심스레 전합니다.

별

꼭 이기고 싶지 않아도
이기게 되는 게임이 있다

지려고 했던게 아닌데
져 있는 경우도 있다

이기고 짐이 없는 예술에는
각자의 아름다움이 있고

평등한 우주 공간에서
이 별처럼 저 별이 빛난다

수천억조 개의 별들을
마음이 모두 헤아리지 못해

부디 낮에는 해처럼 밝으시고
어둔 밤에는 달처럼 빛나소서

시인의 기나긴 절망 끝에는
새벽의 희망이 어슴푸레 비추니

영광은 저의 몫이 아니옵고
오직 기쁨만을 감사드립니다

뿌리로부터 기둥이 서고

가지 끝에 열매 맺습니다

이 계절 추수의 들판 앞에 서서
풍요의 마음 주셔서 감사합니다

북을 치고 싶은 사람은 북을 치고
춤을 추고 싶은 사람은 춤을 추듯

꼭 그처럼 시인은 글을 적고
누군가의 노래에 내지르는 탄성

여기 죄 많은 사람 부끄러움에
어둠 속에서 당신을 늘 응원합니다

환난의 시절에 적는 사랑시

세계의 곳곳에서 처처에서
사람들이 고통받고 있습니다

사랑은 가을처럼
마치 가을 바람처럼
그 바람에 흔들리는 들녘의 꽃잎처럼
내 눈 앞에서 떨리우고
그것을 적어 당신의 마음에 보냅니다

세계의 곳곳에서 처처에서
사건이 터지고 사고가 일어납니다

저는 가을 바람처럼
집을 나서서
굶주림에 시달렸다는 우리 옛날을 생각해 봅니다
미래의 지금은 폐허와 같고
언젠가 버려질 장신구와 같이 나의 몸뚱아리는
한날 동물의 사체로서 흙으로 바람으로 돌아갈 것입니다

나무를 바라보고
팔을 뻗어 손가락의 지문으로 나뭇가지 끝
나뭇잎의 잎맥을 헤아려 세어보고
가을 하늘을 향해 서 있는 나무의 기둥을
한아름이라도 되는 양 포근히 안아 봅니다

우듬지 나무 끝이 하늘의 기운에 닿아 있듯이
멀리 보이는 산의 능성이는 하나같이 頂上을 향하여
하늘과 마주하고 있습니다

하늘로부터 내려오는 고기압의 찬 바람이
산세를 타고 내려와 여럿의 숨결이 되어
제가 딛은 발자국 자국까지 왔다가 갑니다

태양과 나란히 서서
반짝이는 강물과 함께 걷노라면
허령한 마음을 익숙한 그림자가
강물 위로 흔들흔들 따라옵니다

지금 내가 발 딛고 있는 곳의 저편 너머엔
전쟁이 있고 기아가 있고 질병이 있고
사건이 있고 사고가 있습니다
자살이 있고 他殺이 있습니다

사람으로 태어난 의무와 책임을 다 하지 못함을
초등학교 시절 어린이의 마음이 되어 애태웁니다
他人의 고통이 귀신들 울부짖는 비명소리가 되어
나를 위해 마련된 십자가에 제 팔다리가 못박힐 날은
언제가 될까요, 그때 또 다시 나는 꼭 옛날처럼
다른 사람들의 쓸쓸한 외면을 받지는 않을는지요

십자가에서 흘린 피처럼
붉은 단풍이 바람에 우수수 떨어지는 날

한 계절을 두루 덮는 무수한 희생은 과연
어느 누가 짊어져야 할 몫일는지요

지금 한 사람의 마음은 푸른 가을 하늘처럼 높고도 맑습니다
다가올 봄날에 누군가는 겨울밤 같은 긴 병마로 시름할 것입니다

글 적는 사람은 가을 바람처럼 여기 저기를 떠돌며
도움의 한 손길 주기를 주저하는 여린 사랑을 합니다
우리 사는 환난의 이 세상 여러 고통이 이 땅에서 그칠 것임을
하나의 작은 소망으로 밝은 마음 가운데 지니어 굳게 믿습니다

사랑의 갈증

내 마음은 어딜 가나 온통 사막이다
멀고 먼 바람 메마른 토양 한 방울의
물이 아쉬운 뜨겁고 찬 낮과 밤이다

내가 서 있는 이 자리에서 나는 만년간
마른 하늘에다 대고서 처음 한 방울의
빗소식이 들려오길 갈급해 마지않았으니

내 마음을 적시는 그 청량한 감로수
그대에게로부터 부음받을 것이라면
내 마음의 터에 수천년 간 숨어 있던

온갖 씨앗들의 싹을 일시에 틔울 것이니
그 하늘 아래 총천연의 자연을 그대에게
기꺼운 마음으로 모두 선물해 바치리니

나의 생명과도 같은 나의 사랑이여
나의 기쁨인 나의 사랑이여 사랑이여
사랑이여 나를 이 갈증으로부터 구하소서

나는 작열하는 태양 아래 가슴이 타고
나의 밤은 외롭고 쓸쓸함에 기우는 달입니다
당신은 타오르는 별 그대만이 나의 희망

별이여 밤이여 추위여 바람이여

연못이여 높은 산 위의 하늘이여
천둥과 번개여 물과 불과 모든 땅이여

구름을 뚫고 푸른 하늘로 치솟는 空!

씨 뿌리는 이

꽃은 나더러
흔들리며 피라 하고

바위는 나더러
굳은 믿음이 되라 한다

굳은 믿음 사이
피는 꽃이 있느냐 물으니

저기 푸른 언덕 위에
씨 뿌리는 이 있지 않느냐 한다

사에게

사야, 너는 아니?
세상 모든 악에는 다
그럴 만한 이유가 있음을

사야, 너는 아니?
너에게 말을 건네는 사람은
도시의 이곳 저곳을 방황하며
여러 색채의 얼룩진 꿈을 꾼다는 걸

사야,
생명이란 무엇인지
왜 태어나게 되었는지
태어남은 무얼 위한 건지
널 앞에 두고서 나는 아직도
나의 무지를 고백할 수 밖에 없다

사야, 갓 태어난 아기가
심한 질병에 시달릴 때
하루 종일을 방 안에서
느린 시간 속 고통에 몸부림치며
창을 통해 드는 빛의 변위를
감지하고 눕혀진 침상위
덮혀진 이불의 감촉을 느끼고
천장에 매어달린 모빌의
움직임; 변화 속에서

잠시 고개를 돌려 벽지에 그려진 같은색깔
비슷비슷한 무늬들의 갯수를 셀 수 있을까
고통으로 보내는 낮과 밤인데

사야, 언젠가 어느 병원의 침상
누군가 앓고 있는 호흡기의 질병
삶의 막바지인걸 곁의 어느 누구라도
알 수 밖에 없는 그 고문과도 같은
들숨과 날숨 밤낮 없이 그 그르르대는
고통스런 오르막과 내리막을 숨이 멎을
때까지 반복해야만 어둠의 평안을
얻을 수 있는 운명에 처해진 사람은
날 때부터 그러한 병자는 아니었단다

사야, 걷다 지쳐 길거리에
주저앉은 나에게 주어진
무관심과 경멸의 눈초리를
나는 마음 속 깊이 기억한다
걷다 주저앉은 그 장소에서
나는 목적지를 몰랐고 단지
다리뻗고 누울 단 한 평의
땅만을 바라기만 할 뿐이었지
추운 겨울 날 누군가는 내가
죽기만을 바라며 살았다던가

나는 진실로 그 때 죽지 않았지만
이제는 쓸쓸함에 죽게 되었다 사야,

매일 밤 별이 빛나는 하늘을 볼 수
있음을 소중히 생각하거라
두근대는 마음으로 오늘 밤 잠에
들면 내일 해야 할 일이 기대되는
하루를 살아라 오늘이 생의 마지막
날이라면 무엇을 할 것인지
스스로에게 물어라

잠깐 사이

나는 지금 공부와 생각 사이에 존재한다.
아름다운 우리 사이엔
건널 수 없는 폭포수가 떨어진다.
하얀 물보라가 일어난다.

온통 붉음

마음의 그릇에
봉숭아 꽃잎을 담아
절굿공이로 짓찧는 듯 하다
심장의 뜀박질은 두근 반 여섯근 반
가느다란 실핏줄은 꽃잎의 색채로 붉게 물들고

나의 사랑

나의 사랑은
너무나 슬퍼서
하루 하루를
눈물로 지새웁니다

나의 사랑은
너무나 아파서
하루 하루를
한숨으로 살아갑니다

부디 고개를 들어
하늘을 보소서

하늘의 빛에
흐르는 눈물
반짝이게 하고

하늘의 기운에
가슴 찢어지듯
큰 숨을 들이키소서

마흔 살의 죽음

당신은 지금 죽음을 생각하고 있습니다.

여든 살, 아흔 살의 죽음이 아니라,
꼭 마흔 살의 죽음을요.

어쩌면 당신은 예순 살의 삶,
어쩌면 당신은 아흔 살의 삶,
어쩌면 당신은 백 스물 한 살의 인생을
또 어떠한 행복을 기획하고 계신지도 모릅니다.
하지만 지금 이 순간은 마흔 살의 죽음을 생각합니다.

마흔 살의 죽음에는 음악이 필요합니다.
마흔 살의 죽음에는 꽃이 필요합니다.
마흔 살의 죽음에는 춤이 필요합니다.
마흔 살의 죽음에는 웃음이 필요합니다.
마흔 살의 죽음에는 자유가 필요합니다.
마흔 살의 죽음에는 사랑이 필요합니다.
마흔 살의 죽음에는 치유가 필요합니다.

그렇습니다, 마흔 살의 죽음은 작은 해프닝입니다.
곧이어 일어날 아지랑이의 어지러운 현기증입니다.

지금 당신은 또다른 죽음을 생각하고 있습니다.

일흔 다섯 살, 아흔 세 살의 죽음이 아닌,

꼭 마흔 살의 죽음, 세상 바깥으로의 화려한 탈출을요.

어쩌면 당신은 비참한 죽음, 괴로운 죽음,
어찌할 수 없는 죽음, 더럽고 추한 죽음,
춥고 썰렁한 죽음, 혹은 죽을 때까지 불평등한
삶에 대해서 생각할 수도 있습니다. 그리고
한 사람에게 죽음이란 언제나 자유로이 놓인
선택지 중 하나라는 사실을 마지못해 인정하면서
매일 똑같은 삶을 반복하고 계신지도 모릅니다.

마흔 살의 죽음은 그 후의 삶을 미처 다 알지 못합니다.
그 누가 어떤 철학자가 생이 고독하다 하였습니까.
인생이 고독할 때면 하늘에 떠 있는 태양을 보십시오.
빛나는 태양만큼 고독한 마흔의 나이가 곧 당신입니다.

마흔은 곧 不惑이라 어떤 것에 혹하지 않는다는데,
죽음을 마주한 이는 어떠한 中心을 잡게 될는지요.

높은 건물 옥상에 차가운 바람이 일어나
귓가를 스치고 옷자락이 이리저리 흔들릴 때
마흔의 누군가는 그 꼭대기에 한 발을 내어 딛은 채
함부로 실족하지는 않겠지요.

마흔의 누구는 그 나이가 되기까지 돈을 모아 바쳐 마련한
자랑스러운 승용차 뒷좌석에 구공탄을 피워 두고
수면제 몇 알을 삼키고 깊이 잠드는 일은 없겠지요.
구조신호는 언제나 보내기 마련이라는데,

마흔의 누군가가 스크린 도어로 막혀 있는 선로를 등지고
벽에 설치된 이머전시 수화기를 들고서는 사람이 죽은 후에
가게 된다는 사후세계에 대한 종교적 질문을 미친듯이 하는
그러한 응급상황에 처하진 않겠지요.

마흔의 누구는 세밑 추운 겨울 덜덜덜 떨리는 양 손으로
자신의 목을 옭아맬 매듭끈을 만들어 인적 드문 산속에
들어가
나뭇가지에 그것을 매어보는 하릴없는 삽질을 하진 않겠지요.

누군가가 마흔의 어느 때 항암치료의 병상에 누워
통장 잔고처럼 홀랑 벗겨진 대머리를 하고서 카메라 앞에
싱긋 미소지어 보이는 병약한 인생을 살지는 않겠지요.

마흔이 되어 구슬픈 눈물을 뚝뚝뚝 떨어뜨리며
농약을 꿀꺽꿀꺽 마신다던가 또는 수면제를 한 웅큼 쥐어
우걱우걱 씹다 쓰러지는 멍청한 짓을 하지는 않겠지요.

마흔의 어느 날 갑자기 북한의 김정은이 핵미사일을 날려
모든 것이 한 순간 쥐도 새도 모르게 사라질지도 모른다는
미친 불안증이 현실이 될 일은 기필코 없어야 되겠지요.

저는 이제 마흔을 지나 나이든 이들의 죽음을 생각합니다.
노년의 고독한 죽음이 우리시대 이 사회에 너무나 많습니다.
아무도 그들의 떠나는 길을 배웅해주지 못하고 있습니다.
생사의 경계선에서 사후의 자기 자신에게 매월 출간되는

정기간행물처럼 긴 편지글을 남기는 이가 있었던가요.

누군가는 마흔이 되기까지 살아보지도 못하고 죽었습니다.
세월호에 탄 사람이 죽었고 이태원에 간 이가 죽었습니다.
왜 죽어야 했는지 모를 우리 사회의 여러 청소년 청년들이
목숨을 잃은 그 자리에 꼭 그 때와도 같은 그 모습으로
지금에 이르도록 눈물과 한숨 사이 머물고 있습니다.

甲辰年
지난 허물을 벗고 탈바꿈하며,

이세상 마흔까지 살아낸 당신,
올해 갓 태어난 또 당신,
어린이 당신 청소년 당신,
청년 중년 장년 노년을 살아가는 당신,
無壽者相의 의미를 깨달아 살아가는 그대,

모두 새해 복 많이 받으시길 바랍니다.

일상의 수수께끼

생의 비밀을 알 수 없다는 듯
그렇게 흐린 하늘이었다.
신호등의 表識에 따라
차량의 행렬은 흘러가다
가두어지고.
나는 어느새
외따로이
세워져
비에 젖은
자전거의 바큇살을
하나하나 세아려 보는 것이었다.
저 동그라미들은 어째서 존재하는 걸까,
건너편 버스의 타이어가 굴러가고 있었다.
인간의 편의라는
목적을 위하여.
저 모든 것들이 만들어져 구른다 하니
사람이란, 참으로 알 수가 없는 존재였다.
한 사람의 生의 비밀을 모두 다
알 수 없는 것과 마찬가지로,
나는 땅을 적시고서 남아 고여있는
물웅덩이의 비밀을 알 수 없었고,
내가 앉아있는 이 카페의 익숙한 한 자리
홀짝거리며 마시는
차가운 아이스 아메리카노의 커피콩과
얼음조각 조각에 어떤 秘儀가 숨어 있는지

멍청한 시간의 나로서는 도무지
알 수가 없는 노릇이었다

계절

봄꽃의 미소가 날아와
내 마음밭에 꽂혔네

풀어지는 땅으로부터
피어나는 봄꽃을 바라보며
마음으로 마음으로 쓰다듬었네

오늘 하늘을 가득 채울 듯 피어나거라
내일 땅으로 하루하루 떨어지는 꽃

꽃대를 둘러싼 꽃잎파리 하나하나
봄바람을 빙긋이 미소로서 맞이함을

나는 보았네
나는 이미 보았네
봄이 오기 전 이 겨울의 끝자락에서

언젠가

하늘녘 저녁 구름의 자연을
고층건물의 틈 사이로 본다
목적을 위하여 사는 삶은
짧은 생애,
인생의 허무를 잠시간 망각하게 하여
지나는 사람들의 발자국
자국 자국,
내 공부를 앞뒤로 둘러싼 짙은 안개
눈덮인 얼어붙은 산 위로 굴러오르는 포클레인과
全體를 다 파악할 수 없는
巨大 都市의 政治
그 모든 것에 필적할 만한
숫자 굴림의 계산과 그것이 지시하는
유일한 목적이 있다면
그것은 이젠 아무래도 좋을 신성한 빛일까,
허무의 경제학 환등상 같은 삶
그 경계 안팎을 넘나드는 자들은
정신이상으로 어딘가 맺혔다 풀어지고
生花는 造化로써 피고
造花에는 生命이 깃들어
흔들리는 땅 위로
흔들리는 스크린 그 위로 언젠가
神話처럼 높이 솟은 아찔한 마천루를 바라보며

너는 그곳에 있어야 한다

너는 그곳에 있어야 한다
방 안의 붙박이 장처럼
목줄 매어걸린 시골집 개처럼

너는 그곳에 있어야 한다
눈 내리는 날의 송백처럼
봄을 기다리는 진달래 새순처럼

너는 그곳에 있어야 한다
그리움에 지키지 못한 약속처럼
바다 건너 망향의 손수건처럼

너는 그곳에 있어야 한다
정의의 부르심의 자리에
평화를 외치는 너른 광장에

너는 그곳에 있어야 한다
조화로운 영혼 자유의 쉼터
희망의 내일을 위한 작은 속삭임

너는 그곳에 있어야 한다
너는 그곳에 있어야 한다

선물

제게 선물로써
가난을 주소서
주 앞에 오롯이
서겠나이다

제게 선물로써
病苦를 주소서
사망의 결승선을 향해
열심으로 뛰겠나이다

제게 선물로써
결핍을 주소서
生을 향한 약동 다시 또
아름다웠던 그 청춘의 거리

인생의 계절

가을이 봄이고 봄이 가을이다

시간의 신 크로노스

언제부터
그 언제부터
원은 360도가 된 것일까
우리는 수학 시간에
백팔십도는 파이이고
이파이알이 원주이며
파이알제곱이 원의 넓이라고 배웠다
초등학생 대부분이 아는 이 지식을
1000년 전 사람 대부분은 알지 못했다
맞지?

초등학교 시절이 생각난다
운동장에 서서 축구를 했는데
나에게 공이 왔다
발로 공을 찼는데
공이
내가 의도한 방향에서
1 라디안 정도 어긋나는 방향으로 갔다
그 이후로 축구 경기에 참여한 적이 매우 드물다
오늘도 손흥민이 골을 넣었나?
오늘 손흥민의 경기가 있었나?

역법이라는 것이
인류 문명에서 매우 중요한 것이었나 보다
지금 대학 입시에서 의대 선호는 오래된 현상이지만

우리 이전 세대의 선배들은
머리 좋은 이과생들이
물리학과에 많이 진학했다고 들었다
서울대학교 물리학과
많은 천재들이 양자와 우주를 생각하였을 것이다
서울대학교 물리학과에 진학한 다음에
진로를 역사학으로 옮겨간 분을 안다
김기협이라는 역사학자이신데
동양사학을 전공하려는데
지도교수와 불화가 있었나 보다
서울대학교 동양사학과가 아닌
연세대학교 사학과로 학위를 하러 오셨단다
그분이 연구한 주제가 역법에 관한 것이라 하는데
서울대의 지도교수께서 정치사를 공부해야지
무슨 역법을 연구하냐고 하셨다고 했다
그게 언제적 일이었을까?

나는 역법에 대해서 잘 모른다
그것이 역사상 매우 중요한 것이었다는 것 밖에는
한 가지 역사적 사실로 드러난 것이
중국에 파견된 서양 선교사들이 중국 황제에게
자신들의 역법이 중국의 역법보다 더 우수한 것을
어필했다는 것이다
여기에서
더 우수하다는 것은 역법의 오차가 더 작다는 것이다
예컨대
1000년에 하루 오차가 나는 역법이 있고

10000년에 하루 오차가 나는 역법이 있다면
후자의 역법이 전자의 것보다 더 우수하다 할 수 있다
중국의 한 신하가 말했다 한다
황제의 나라는 만세토록 이어져야 하는데
저 자는 기껏해야 만 년 가는 달력을
만들어 가지고 왔다고
이것은 다분히 정치적 발언이다
그리스도교의 부활절에 관한 이야기도 있다
춘분 이후 첫번째 일요일이던가
율리우스력보다는 그레고리력이 정확했다
그렇지만 서구의 각 국가들은
그레고리력을 받아들이는 시기가 달라서
나라별로 부활절을 달리 지냈다고 한다

처음 달력을 만들려고 했던 사람은 누구였을까
어느 누가 역법을 만들고자 발심하였을까
그 인물이 누구인지 역사에 적혀있지는 않다
봄과 여름과 가을과 겨울
하루하루 변덕스럽게 변화하는 날씨 중에서
그를 관통하는 일정한 추세를 찾아내고자 하는 것이
역법을 만들겠다고 다짐한 첫 사람의 생각 아니었을까
봄과 가을은 변화의 계절이다
봄꽃이 피어날 때 우리는 설레고
가을꽃이 하늘거릴 때 우리는 정결해진다
여름과 겨울은 지속의 계절이다
여름은 더운 날이 계속되고 겨울 내내 추운 바람이 분다
언제 농작물을 심어야 하며

언제 가을걷이를 해야 하는가
농업에 필수적인 것이 역법이었다
한 해가 몇 날이 되는지를 세어보고자 하는 이는 누구였을까
하루 하루
하루가 지나갈 때마다 그 수를 헤아린다
그리하여 일 년이 삼백육십일 정도 되는 것 같다는
결론을 내리기까지
몇 해의 귀납적 관찰이 있었을까
단지 날씨의 추세만을 관찰한다면
그것은 한 사람의 인생만으로 끝나는 일이 아니었을 것이다
어쩌면 관찰하는 사람은
어느 해는 400일이고 어느 해는 300일이 아닐까 싶기도 했을 것이다
어릴 적에는 한 해가 천천히 가고
나이가 들면 한 해가 훌쩍 지나간다 하지 않나
한 해가 거의 똑같이 360일 정도 된다는 결론을 내린 사람은
얼마나 기뻤을까
그 정보를 이어받은 사람들이
365일 정도 된다 하고
그걸 이어받아서
365.25일 정도 된다는 정보
그것은 날씨만 살펴서 되는 일은 아니다
하늘의 해와 달과 별을 관찰하며 규칙성을 발견했던 것이다
날씨만을 관찰하여 기록하고 그에서 귀납적으로 추세를 발견하고자 하여도
아마 한 해가 365일 정도 된다는 결론에 닿게 될지도 모른다
하지만 해와 달과 별을 이용하면 훨씬 더 빨리 결론에 이른다

그 하늘의 별을 보는 법칙과 그 기록에 대한 접근권한을 가진 극소수의 역관들이
대를 이어서
자신들의 지식을 이어 내려왔기 때문에
우리는 달력을 가지게 됐다
우리는 한 해가 365일인 줄 알게 되고
자신이 태어난 날짜 즉 생일이라는 걸 알아서
인생 중 여러 유희를 즐기게 되기까지 했다
파리바게트 매출의 상당 부분은
이전 시대의 천문학자들에게 빚지고 있는 것이다
부모님이 돌아가신 날을 기리고
예수님 부처님 탄생일날 직장인들은 하루를 쉬며
더 정확히 이야기하자면
9시까지 출근을 하고
6시에 칼퇴근을 하게 된 것이다
지체높은 양반이라고 해서 기차가 느긋하게 기다려 주지 않고
서로 모르는 사람들이 동일한 시간에 옹기종기 영화관에 모여
유명 배우들의 그림자를 감상한다

때는 서기 2040년
2024년 인류와 마찬가지로 모든 사람들의 손에 스마트폰이 들려 있었다
그 스마트폰을 개발한 아이디어를 낸 사람은 스티브 잡스라고 했다
스티브 잡스는 췌장암으로 사망했다는 소문이 돌아다니고 있었다
스티브 잡스는 췌장암에 걸렸는데 병원 진료를 거부했다는

말과 함께
그 돈 많은 사람이 왜 병원에서 치료받지 않았을까 의문을 갖는
사람이 조금 있었다
스마트폰에는 날짜와 시간이 써 있었다
날씨 앱을 누르면 오늘의 날씨도 친절하게 예보되어 있었다
사람들은 종종 신경질을 냈다
왜 오늘 일기 예보는 맞지를 않는 거야!
전 세계에서 종이 달력을 집에 들여놓고 그걸로 날짜를 체크하는 사람은 몇 없었다
있다 하여도 종이 달력은 장식품...

애플은 인류가 깨어문 최초의 사과였다...

시골의 한적한 한 마을의 슈퍼마켇
전국의 모든 동네에는 컨비니언스 스토어가 들어왔지만
그 시골마을에는 슈퍼마켇을 운영하는 할머니가 있었다
그 할머니는 한 장에 하루의 날짜가 매우 큰 글씨로 적혀 있는 매우 큰
달력을 가지고 있었다 그리고 매일 아침 그 달력을 한장씩 떼어내는 것이 일과였다
집 나간 내 새끼 언제 돌아오누
그 할머니가 서른 다섯 살일 때 어린 자식이 집을 나갔다
그 이후로부터 그 분은 슈퍼마켇을 지키며 집 나간 자식을 생각하며
달력을 한 장씩 떼어내는 것이 일이었다

한편
미국의 워싱턴에서는 세계황제의 취임식이 있었다
전 세계 정치세력이 합의하여 도널드 트럼프를 세계황제로 추대한 것이다
도널드 트럼프는 세계황제 취임식에서 이렇게 말했다
아이 윌 비 더 엠퍼러 오브 타임!
그 때 전 세계 사람들은 트럼프가 무슨 뜻으로 그런 말을 하는지 몰랐다
트럼프는 알고 있었다 점점 종이 달력을 사용하는 사람들이 없어진다는 것을
그리고
아날로그 시계를 사용하는 사람들도 점점 줄어들고 있었다
아날로그 시계는 오차가 존재했고 중간중간 배터리를 갈아끼워야 했으며
결정적으로 손에 들린 디지털 시계에 의존하여 시각을 맞추어야 했다
한마디로 아날로그 시계는 디지털 시계에 비해서 꼴았고
손에 들린 디지털 시계는 너무나 편리했다
심지어 워크맨을 만들어 낸 나라이고
정부 행정을 오랫동안 디지털이 아닌 종이 문서로 하였던
일본국의 사람들도 종이달력과 아날로그 시계를 쓰지 않았다
그러던 어느날 세계황제 도널드 트럼프가 트위터를 날렸다
메리 크리스마스!
그것이 세계황제 트럼프의 첫 악행의 시작이었다
8월의 크리스마스...

몇 년이 지났는지 모르는 시간들이었다

시간이 무엇인지 모르는 시간들이었다
어떤 날은 1교시가 금방 지나가고
어떤 날은 죽어라 일해도 일과가 끝나질 않았다
7월에 눈이 내렸으며
군생활은 결코 2년이 아닌 것 같았다
애플 핸드폰의 시간과 삼성 핸드폰의 시간이 달랐으며
삼성 갤럭시 울트라의 시각이 가장 정확하다는 소문이 들려왔다
축구 심판이 시계를 보고 있었다
선수가 골을 넣자 축구 경기가 끝났다
모두가 쓰러졌다

그렇다 세계황제 트럼프는 시간의 신이 된 것이었다
그 아래에는 천문을 연구하는 과학자들과 이재용과 같은 대기업 사장들이 있었다

시간을 지배하는 신 아래 종속되어 있던 인민들은
지혜를 모아 스스로의 역법을 만들고자 하였다
인민들은 그 옛날 처음 역법을 만들고자 발심했던 사람들보다는 훨씬 나은 위치에 있었다
한 해가 365일이라는 사실을 이미 알고 있었고
공교육을 통해서 수학과 과학 지식들을 습득하였으며
손목시계를 고치는 장인들도 자신들의 편이었다

하지만 밤하늘엔 별이 보이지 않았고
꽃들도 제시절에 피지를 않았다
결정적으로 시간의 황제 트럼프가 등극하기 이전

세상이 몇년 몇월 며칠의 시간이었는지를 아는 사람이 없었다
심지어 매일매일 신문을 발행하는 신문사조차 날짜와 시간을 모르는 지경이었다
어둠 속의 반역 세력은
전 세계를 수소문하여
마지막 남은 시골 동네 슈퍼마켙을 찾아 갔다

집 나간 자식이 돌아오기를 기다리며 하루 하루 달력을 떼는 한 노파가 있었다
내 새끼 언제 돌아오누
엄마!

모자상봉 제 1년이었다

끝

카데바

죄를 지은 사람은
시를 적을 수 없는 걸까

나는 가끔
김동길 교수님의
시신이
어떤 운명에 처해졌을지를
생각해 보곤 한다

그 분은
연세대학교 의과대학
해부학 교실에
자신의 시신을
기증하셨다

그의 시체를 해부한
의과대학생들
이번의
동맹 휴학에 참여했을까?

괜시리 나는
이런 것들이
궁금하다

사람의 본질은

육체가 아닌
영혼에 있고

영혼이 떠난
시신에 대고서
그의 이름을 부르는 사람은
이제
없으니

망자의 영혼
늙은 육체만을 지상에 남겨 두고
하늘로
하늘로 올라갔다

평양고보에 다니던
그 젊은 시절
고향 땅 밟아 보지 못하고
사랑하는 여인은
타국에 둔 채

아흔 넷의 시체는
대한민국 명문 사학
해부학 실습의
한 구의
카데바로

희망이 담긴 시작 노트

홀로 앉은 방구석에서
평화 운동을 하고
환경 운동을 하였다
부모님의 펀딩을 받아
고층 아파트의
엘레베이터를 타고 내려와
기꺼운 마음으로
근처 편의점에 들러
까까 하나를 사 손에 들고
게걸스럽게 주워먹으며
품위란 걸 모르는 채로
노트북 컴퓨터 앞에
종일토록 앉아서
올라온 뉴스들을 훑으며
유튜브 영상들을 보며
나라의 정치를 생각하고
나라의 경제를 생각했다
경제적으로 자립하지 못한
은둔형 히키코모리로 나는
어느 날은 특정 대기업의
떨어지는 주가를 걱정하며
그 기업의 최고경영자인 양
앞길이 무엇이 있을까
답 없는 고민도 하여 보고
왜 한국 사람들은 자살을

많이 하는가 무거운 쇠납추를
가슴 속에 매어 달고서
어느 날은 세기에 남는
학자가 되겠다는 생각에 책에
줄을 벅벅 그으며 그 의미를
헤아려 보려 하고 또 다른
어떤 날은 문학사에 길이
남는 작품을 적고 싶단 생각
인생보다 긴 예술이라는 것
그것을 생각하며 시 쪼가리를
적어보기도 하였다
나는 불안에 시달리는
정신질환자 한달에 한번
정신과 의사와 면담하면서
왜인지 모르게 정신과 의사의
기에 눌리고 싶지 않다는
이상한 사소한 그런 생각에
정신과 의사보다 내가 더
위대하다는걸 증명하기 위해
산다는 듯이 그 하루아침을
훌쩍 병원에 다녀 오고
그 어느 날은 문화부 장관
이라도 된 양 한국 문화가
세계적 보편성을 갖추는 날을
상상하여 보기도 또
가난한 예술가들의 생계구조를
잠시 걱정하여 보기도 하고

내일의 공구리 건물 아스팔트
도로의 도회지 속에서
옛날의 자연이란 걸
간절히 발견하고 싶어서 무던히
걸으면서 애써보기도 하였으나
언젠가 무심코 하늘을 보면
이마와 볼 손등에 떨어지는
빗방울들
귀에 꽂은 이어폰에서는
내가 응원하는 솔로 여가수의
음악이 재생되어 흐르고
떨어져 내리는 빗방울은
내가 울고 싶은 건지
죽어 없는 자의 울음인지
채마밭이 간절히 바래서
내리는 것인지 아니면
춘곤증 졸음과 함께 찾아온
긴 하품 속 권태인지
오늘 이 기적 같은 날 왜
이 세상에는 서로 사랑하지
아니하는 부모 사이에서
한 어린아이가
태어나게 되었는지
그게 사랑이었다는 듯이
그게 마치 전부였다는 듯이
그래 아이야
다른 누구가 아니라

네가 바로 이 세상의 희망이란다
이 나라 자갈밭 땅에서 자라난
네가 바로 세상의 등불이란다

하루 이후 또 하루
안녕하냐는 인사 이후 또 내일
잘 지내길 바라는 마음은
정해진 시각에 또각또각 찾아오고
오랜 목적에서 잠시 해방된 한 짬
바삐 일하는 카페 한 구석에 앉아
오가는 사람들 발자국 자국을 본다
본다는 행위에
어느 미련도 담기지 않은 눈깃에
어둠처럼 차분히 내려앉고
쓰디쓴 커피는 입술을 적신다
적신다, 내일의 희망처럼
얼음을 깨는 소리
그늘에 쌓인 눈을 소복소복 밟는 소리
산새 우지지는 소리
토요일이 지나가는 열차 소리,

내일을 위함